CW00734769

L'Étranger

FichesdeLecture.com

L'Etranger
(Fiche de lecture)

I. BIOGRAPHIE D'ALBERT CAMUS

1913

Naissance le 7 novembre à Mondovi, près de Bône, en Algérie. Sa mère est quasi sourde et illettrée. Son père est ouvrier.

1914

Son père, Lucien Camus, meurt à la guerre, à la bataille de la Marne. Il a un frère aîné, Lucien. Sa famille mène une vie misérable et s'installe à Alger, dans le quartier populaire de Belcourt. Il est élevé par sa mère, Catherine Sintès, et par sa grand-mère rude et autoritaire.

1924

Il rentre au lycée Bugeaud d'Alger. Il s'illustre comme gardien de but au Racing Universitaire d'Alger. C'est un très bon nageur. Il adore la mer.

1930

Il passe son baccalauréat. La tuberculose le fait déjà souffrir.

1931

Il commence des études en Lettres Supérieures.

1933

Il se joint au mouvement des antifascistes et au Parti communiste.

1934

Premier mariage de Camus avec Simone Hié.

1936

Il divorce. Il présente un Diplôme d'Etudes supérieures sur les rapports entre le christianisme et l'hellénisme. Sa santé l'empêche de passer l'agrégation de philo. La tuberculose lui ferme les portes du professorat. Il dénonce le colonialisme.

1937

Premières tournées avec la pièce de théâtre : L'envers et l'endroit.

1938

Il débute Caligula, sa première pièce. A partir de cette année, il trouve dans le journalisme une façon d'agir à son niveau contre les faits de l'actualité qui le révoltent. Il fonde Le Journal d'Alger républicain où il s'élève contre l'asservissement du peuple musulman, contre l'oppression du colonialisme, contre la mainmise des riches...

1939

Publication de Noces, où il vante les beautés et les habitants de l'Algérie.

1940

Camus part d'Algérie pour la France. Après deux ans d'écriture, il termine L'Etranger. Deuxième mariage avec Francine Faure.

1942

Après deux ans d'écriture, publication de Le Mythe de Sisyphe. Publication de L'Etranger, qui apporte le succès. Il écrit dans Combat, un journal qui participe à la Résistance. Il y devient rédacteur en chef.

1944

Il fait la connaissance de Sartre.

1945

Fin de la Seconde Guerre Mondiale. Camus rêve d'une Algérie démocratique.

1946

Voyage aux Etats-Unis.

1947

Publication de La Peste, écrit de 1941 à 1946. Enorme succès. Il arrête d'écrire dans Combat.

1948

Guère de succès avec L'Etat de siège, au théâtre.

1949

Grand succès avec Les Justes, au théâtre. Sa santé empire.

1951

Publication de L'Homme révolté. Camus reste de gauche mais dénonce le stalinisme, ce qui lui attire les foudres d'une partie de la gauche française.

1952

Sartre et lui rompent leur amitié. Il adapte au théâtre, Les Possédés, de Dostoïevski. Il démissionne de l'UNESCO qui admet en son sein l'Espagne franquiste.

1953

Il défend les ouvriers de Berlin-Est qui font face aux tanks.

1954

Publication de L'Été. Début de la guerre d'indépendance en Algérie.

1955

Il adapte au théâtre, Un cas intéressant, de Buzzati. Il se joint à L'Express, un journal qui veut des négociations pour la guerre d'Algérie.

1956

Il lance un appel à la trêve civile. Cet appel ne reçoit aucun écho. Le conflit se généralise. Par contre, vivement dénoncé et critiqué par la gauche, il se taira ensuite. Il abandonne sa collaboration à L'Express. Publication de La Chute.

1957

Publication de L'Exil et le Royaume. Il reçoit le prix Nobel de littérature.

1958

Camus s'investit davantage dans le théâtre.

1960

En revenant de sa nouvelle maison, dans le Vaucluse, il se tue en voiture, le 4 janvier, avec Michel Gallimard.

II. RÉSUMÉ

Premiere Partie

Chapitre I

C'est jeudi. Aujourd'hui, maman est morte dans son asile à Marengo, situé à quatre-vingts kilomètre d'Alger. Au restaurant de mon ami Céleste, tous avaient de la peine pour moi. Cependant, dans mon esprit, c'est comme si maman n'était pas morte. Je n'étais pas en deuil.

A deux heures, j'ai pris l'autobus. Il y avait une chaleur torride. Mme Meursault, ma mère, vivait assez heureuse à l'asile, car je ne pouvais plus subvenir à nos besoins. Le directeur m'a dit : "Je suppose que vous voulez voir votre mère." Il m'a expliqué : "Nous l'avons transportée dans notre petite morgue. Pour ne pas impressionner les autres. Chaque fois qu'un pensionnaire meurt, les autres sont nerveux pendant deux ou trois jours." A la morgue, il m'a laissé. L'enterrement était fixé à dix heures, le lendemain matin. Ma mère ne s'était jamais intéressée à la religion et pourtant elle avait demandé d'être enterrée religieusement.

Le concierge m'a proposé de retirer le couvercle de la bière pour que je puisse la voir. Je ne voulais pas, sans savoir pourquoi. Le concierge disait "ils", "les autres", en parlant des pensionnaires pourtant guère plus âgé que lui. J'ai eu envie de fumer. Pouvais-je le faire devant maman ? Aucune importance. J'ai offert une cigarette au concierge et nous avons fumé.

Pour la veillée nocturne, les amis de maman sont venus. Quand ils sont entrés, la plupart paraissaient gênés. Il me semblait qu'ils me jugeaient. Une femme a pleuré longtemps car ma mère était sa seule amie. Elle n'avait plus personne. Puis le silence fut pénible. A la longue, j'avais l'impression que ma mère ne signifiait rien aux yeux de ces vieillards. La nuit a passé. En repartant, à mon grand étonnement, tous m'ont serré la main.

J'ai renoncé à voir ma mère comme me le proposait le directeur. Seul l'un des pensionnaires a eu l'autorisation d'assister à l'enterrement : Thomas Pérez, un vieil ami de maman. Son visage était blafard, ses lèvres tremblaient. Un employé des pompes funèbres m'a demandé si maman était vieille. Je ne connaissais pas son âge. On a marché longtemps. Je suais à pleines gouttes. Le goudron noir qui éclatait sous le soleil ; le noir des habits ; le noir de la voiture ; la fatigue de ma nuit d'insomnie ; la terre couleur de sang ; l'attente : tout était insoutenable. Ma joie quand l'autobus est rentré à Alger. J'allais enfin pouvoir dormir...

Chapitre II

Réveil ce samedi. Je suis allé me baigner. J'ai retrouvé Marie Cardona qui fut dactylo de mon bureau. J'en avais eu envie à l'époque. Nous avons nagé ensemble et avons été à deux sur une bouée. J'ai posé ma tête sur son ventre. Quand elle a vu mes habits noirs, je lui ai appris que maman était morte. Elle a eu un petit recul, mais n'a rien dit. Je lui ai proposé d'aller au cinéma. Nous sommes allés voir Fernandel. Le film était drôle. Marie avait sa jambe contre la mienne. Je lui caressais les seins. Ensuite, elle est venue chez moi. A mon réveil, le lendemain, elle était partie pour aller chez sa tante.

J'ai dormis jusqu'à dix heures. Je suis resté couché jusqu'à midi. Je ne voulais pas déjeuner chez Céleste. J'ai pris des œufs sans pain car je ne voulais pas aller en acheter. Je me suis ennuyé. J'ai erré dans l'appartement. J'ai lu un vieux journal. Puis, je me suis mis au balcon. J'ai regardé la rue. J'ai observé longtemps ces familles en promenade, ces gens rares et pressés, puis le désert. C'était véritablement dimanche. J'ai fumé deux cigarettes, avalé du chocolat. J'ai regardé le ciel. Au soir, j'ai pensé que maman était maintenant enterrée, que j'allais reprendre mon boulot, et que rien n'avait changé.

Chapitre III

Lundi. J'ai beaucoup travaillé au bureau. A midi, avec Emmanuel, je suis allé manger chez Céleste. Le soir, j'ai été heureux de rentré, en marchant le long des quais.

En arrivant, j'ai vu Salamano, mon voisin de palier. Il est avec son épagneul depuis huit ans. Le vieux Salamano, comme son chien, est couvert de croûtes et a le poil rare. Salamano ne cesse de l'insulter, de le battre.

J'ai aussi vu Raymond Sintès, mon deuxième voisin de palier, aux larges épaules, au nez boxeur. Il se dit magasinier, mais passe son temps avec des femmes. Il m'a invité à venir manger chez lui. Dans son unique chambre, il m'a raconté qu'il avait eu une bagarre avec le frère de sa maîtresse, un Arabe. Cette femme dépensait sans compter l'argent de Raymond. Alors, Raymond l'a tapée, l'a battue jusqu'au sang, avant de la quitter. Il voulait que j'écrive pour lui une lettre pour qu'elle revienne. Ainsi, il coucherait avec elle et "juste au moment de finir", il lui cracherait à la figure et la mettrait dehors. J'ai écrit cette lettre pour contenter Raymond. J'étais devenu son copain.

Chapitre IV

J'ai travaillé toute la semaine.

Hier, samedi, je suis allé avec Marie sur une plage resserrée entre les rochers. Je l'ai embrassée. Je l'ai tenue contre moi. Puis, nous sommes allés chez moi, sur mon lit.

Marie est restée ce matin. Nous avons entendu une dispute chez Raymond. Il frappait une femme. Un autre locataire a appelé un agent. Ce dernier a dit à la femme de partir. Quant à Raymond, il allait être convoqué au commissariat.

Plus tard, le chien de Salamano a disparu. Salamano est venu chez moi. Il pleurait. C'est alors que j'ai pensé à maman.

Chapitre V

Raymond m'a sonné au bureau pour me proposer de passer la journée de dimanche chez un de ses amis dans un cabanon, près d'Alger. Marie pouvait venir aussi.

Mon patron m'a proposé de partir bientôt pour Paris, dans un bureau qu'il désirait implanter. Je lui ai dit qu'on ne changeait jamais de vie, que toutes se valaient. Ma vie ici ne me déplaisait pas. Je ne voyais pas de raison de changer ma vie. Il m'a dit, mécontent, que je n'avais jamais d'ambition.

Le soir, Marie m'a demandé si je voulais l'épouser. J'ai dit que cela m'était égal, qu'on pouvait se marier si elle le voulait, même si sans doute, je ne l'aimais pas. Moi, je me contenterais de dire oui.

Plus tard, je me suis retrouvé seul chez moi, n'ayant rien à faire, n'ayant pas sommeil, avec Salamano pleurant son chien disparu. C'est à la mort de sa femme qu'il avait demandé un chien. Ensemble, ils avaient des prises de bec, mais il l'aimait. C'est la vieillesse qui les a tous les deux touchés. La vieillesse ne se guérit pas.

Chapitre VI

Dimanche. Marie, Raymond et moi nous préparions à partir quand nous avons vu un groupe d'Arabes. Parmi eux se trouvait le type de Raymond. Nous avons pris l'autobus. Le copain de Raymond avait son cabanon à l'extrémité de la plage. Il s'appelait Masson. Sa femme riait avec Marie. Pour la première fois peut-être, j'ai pensé vraiment que j'allais me marier.

Marie a voulu que nous nagions ensemble. Après le repas de midi, Masson, Raymond et moi sommes allés nous promener sur la plage. C'est là que nous nous sommes retrouvés face à deux Arabes, dont le type de Raymond. Une bagarre s'en est suivie. Ils avaient un couteau. Raymond eut le bras ouvert et la bouche tailladée. Tous deux se sont alors enfouis.

Peu après, Masson accompagna Raymond chez le docteur. Je suis resté pour expliquer aux femmes ce qui était arrivé. A leur retour, Raymond était d'humeur maussade. Il a voulu se rendre à nouveau sur la plage. Je l'ai accompagné. Au bout de la plage, nous sommes parvenus à une petite source, où se trouvaient nos deux Arabes. Ils étaient calmes. Raymond m'a demandé : "Je le descends ?" Je lui ai alors pris son arme. Subitement, les Arabes se sont glissés derrière les rochers. Nous sommes revenus.

Je suis alors retourné seul sur la plage. Je sentais mon front se gonfler sous le soleil. Chaque fois que je sentais la chaleur brûlante sur mon visage, je fermais les poings dans les poches de mon pantalon. Je pensais à la source fraîche derrière les rochers. Mais, quand j'y suis parvenu, j'ai vu que le type de Raymond était de retour. J'ai pris le revolver de Raymond. A cause de la brûlure du soleil, j'ai fait un mouvement en avant. Alors, par peur, l'Arabe a pris son couteau. Soudain tout s'est accentué : le feu du ciel, le souffle brûlant, l'aveuglement de mes yeux. Mon être s'est tendu, j'ai crispé ma main sur le revolver. Ensuite, j'ai tiré encore quatre coups.

Deuxieme Partie

Chapitre I

J'ai été arrêté puis interrogé plusieurs fois. Finalement, le juge d'instruction s'est penché davantage sur moi. D'abord je ne l'ai pas pris au sérieux.

Le lendemain, j'ai vu mon avocat. Il m'a demandé si j'avais été peiné par la mort de maman. Je lui ai expliqué que je l'aimais bien mais que tous les êtres sains avaient plus ou moins souhaité la mort de ceux qu'ils aimaient. Mon avocat m'a alors bien dit de me taire à l'audience. Il est parti fâché.

Plus tard, le juge d'instruction m'a interrogé à nouveau. Il voulait savoir pourquoi j'avais attendu après avoir tiré mon premier coup, avant de tirer les quatre autres. Je n'ai pas répondu. Il m'a également dit que jamais il n'avait rencontré d'âme aussi endurcie que la mienne. Je lui ai confié que j'éprouvais un certain ennui à propos de mon acte, plutôt qu'un regret véritable.

Ensuite, les entretiens sont devenus plus cordiaux avec le juge d'instruction, avec mon avocat aussi. C'est comme si j'étais classé. L'instruction a duré onze mois.

Chapitre II

En prison, je me suis retrouvé avec bon nombre d'Arabes. Quand je leur ai raconté mon crime, ils m'ont malmené. Alors, j'ai été isolé.

Marie est venue me rendre visite une seule fois. Dans le parloir, tout le monde était forcé de parler à voix haute. J'étais étourdi par tout le chaos qui y régnait. J'étais habitué au calme de ma cellule. Ma voix se perdait parmi celles des autres prisonniers.

Au début, le plus difficile, c'est qu'on m'a tout pris, même mes cigarettes. J'avais alors une nausée perpétuelle. J'avais des désirs d'évasion, de liberté, de mer, de plage. J'étais obsédé par le désir d'une femme. Le gardien-chef m'a expliqué que nous priver de femme et de liberté faisait partie de la punition. Peu à peu, je me suis habitué. Pour passer le temps, j'essayais de me souvenir de ma chambre, des meubles, des détails de ces meubles, etc. Progressivement, j'ai aussi réussi à dormir le jour.

Quand, après cinq mois d'emprisonnement, je me suis regardé dans ma gamelle, j'ai vu combien mon visage paraissait sérieux, sévère et triste, même lorsque j'essayais de sourire.

Chapitre III

C'est durant les mois d'été qu'eut lieu mon procès. En juin, en cour d'assises, j'ai été conduit au palais. Je n'avais pas le trac. J'avais hâte de voir un procès. Quand je suis rentré dans le box, la salle était remplie. Rapidement, j'ai eu l'impression d'être un intrus, d'être de trop. Mon avocat est arrivé. Il a ri avec ses confrères. Un huissier a annoncé la cour. En face de moi, les jurés étaient assis.

Suite à mon interrogatoire, les témoins sont venus un par un...

Le directeur de l'asile est venu préciser que maman me reprochait de l'avoir mise à l'asile. Il a ajouté qu'il avait été étonné de mon calme le jour de l'enterrement, que je n'avais pas été me recueillir sur sa tombe, que je ne savais pas l'âge de maman. Pour la première fois depuis longtemps, j'ai eu envie de pleurer car j'ai senti combien ces gens là me détestaient.

Le concierge est venu expliquer que je n'avais pas voulu voir le corps de maman, que j'avais fumé, pris du café au lait. Pour la première fois, j'ai senti que j'étais coupable.

Thomas Pérez a dit qu'il avait surtout vu ma mère. L'avocat général lui demanda s'il m'avait vu pleurer. Il répondit que non. Mon avocat lui demanda alors s'il avait vu que je ne pleurais pas. Il répondit que non. Et mon avocat d'en conclure : "Voilà l'image de ce procès. Tout est vrai et rien n'est vrai !" Le public riait.

Céleste a dit que pour lui, mon crime était un malheur. Il me soutenait. C'est la première fois de ma vie que j'ai eu envie d'embrasser un homme.

Marie a indiqué la date du début de notre liaison. Elle a raconté notre bain, notre film comique, notre soirée chez moi. Le procureur a noté d'une voix grave que tout ceci s'était donc déroulé le lendemain de la mort de maman.

On a à peine écouté Masson et Salamano.

Raymond est venu témoigner ensuite. Il a expliqué que la lettre écrite par moi, et que ma présence à la plage, étaient dus au hasard. J'étais innocent. Le procureur a rétorqué ironiquement que c'était sans doute le hasard qui m'avait poussé à ne pas intervenir lorsque Raymond frappa sa maîtresse.

J'ai compris que les choses allaient mal.

Chapitre IV

J'avais l'impression qu'on traitait cette affaire en dehors de moi, sans mon intervention, sans mon avis. Mais, je n'avais rien à dire.

Lors des plaidoiries, l'avocat général m'a dépeint comme un criminel intelligent, n'ayant jamais exprimé les moindres regrets. Le procureur a renchéri. Pour lui, je n'avais pas d'âme, rien d'humain, pas de moralité. Le procureur a demandé ma tête pour ce crime monstrueux.

J'ai essayé de me défendre. J'ai expliqué que j'avais tiré à cause du soleil. Je me sentais ridicule.

Mon avocat a plaidé pour moi, utilisant les "je", lorsqu'il parlait de moi. Je sentais qu'il se substituait à moi, qu'il écartait encore de l'affaire, que j'étais réduit à zéro. J'étais en vérité déjà loin du procès. J'avais le vertige. Mes souvenirs joyeux rejaillissaient en moi. Après les plaidoiries, j'ai entrevu Maire dans la foule. Son visage anxieux souriait. Mon cœur était fermé. Je n'ai pu lui sourire.

Après la délibération des jurés, le président m'a annoncé que j'aurais la tête tranchée sur une place publique au nom du peuple français. Je ne pensais plus à rien.

Chapitre V

J'ai refusé de voir l'aumônier. Pas envie de le voir. Pas envie de parler. Rien à dire.

J'ai pensé à ma mort, à mes chances de m'y soustraire. Une exécution capitale. Rien n'est plus grand, plus important que cela. On devait venir me chercher à l'aube... L'attente. L'espoir d'une grâce ?

Marie a cessé de m'écrire.

L'aumônier est quand même venu me rendre visite. Sa présence m'a agacé. Sa douceur et son espoir m'ont mis hors de moi. J'ai crié. Je l'ai insulté. Je libérais sur lui toutes mes tensions.

Pour la première fois, j'ai pensé à maman. Je m'ouvrais pour la première fois à la tendre indifférence du monde. J'ai senti que j'avais été heureux et que je l'étais encore. Pour que je me sente moins seul, il me restait à souhaiter qu'il y ait beaucoup de monde à l'exécution et qu'ils m'accueillent avec des cris de haine.

III. ANALYSE DES AXES DE LECTURE

Chronologie Et Durée

- Jeudi : mort de Mme Meursault ; départ pour Marengo à deux heures ; veillée nocturne.
- Vendredi : enterrement sous une chaleur torride.
- Samedi : Journée à la mer avec Marie. Forte chaleur.
- Dimanche : Journée à l'appartement.
- Lundi : Journée de travail après 4 jours de congé. Il voit Salamano et son chien. Il écrit la lettre avec Raymond.
- Mardi - Vendredi : Semaine de travail.
- Samedi : Journée avec Marie.
- Dimanche : Réveil avec Marie. Dispute de Raymond et sa maîtresse. Le chien de Salamano disparaît.
- Lundi - Vendredi : Semaine de travail.
- Dimanche : Journée chez Masson. Crime de Meursault sous un ciel éclatant et dans un vent brûlant.

L'instruction dure onze mois. Au cours du procès, il fait chaud dans la salle d'audience. Les juges s'épongent le front et semblent être hâtés d'en finir.

L'histoire est linéaire. Dix-huit jours séparent le drame de la mort de Mme Meursault. Les deux semaines de travail prennent peu de place dans le récit : elles semblent peu importantes. Un an sépare le meurtre et le procès. Ces deux moments se déroulent durant les mois de forte chaleur. Précisément en juin pour le procès.

L'avenir de Meursault n'est pas connu du lecteur. Il doit être guillotiné mais quand ? Peut-être sera-t-il grâcié in extremis ?

L'époque

Aucun élément ne permet de dater précisément le récit. Néanmoins, des arguments permettent de situer l'histoire vers 1939. La guerre d'Algérie n'a pas encore eu lieu : Meursault pourrait partir travailler à Paris s'il le souhaite.

Le Cadre

A Alger, dans un quartier pauvre. On parle de Marengo, de la rue de Lyon, du Champ de Manœuvres, de Belcourt, des quais, de la plage et de la mer. Tous noms de lieux sont conformes à la réalité.

Le Titre "L'étranger"

1. Avant son arrestation, Meursault vit le quotidien sans s'y investir. Ce sont les autres qui le sollicitent. C'est Raymond qui l'invite à son appartement. Il ne peut refuser Salamano qui vient chez lui pour pleurer son chien... Si le quotidien ne le faisait pas rencontrer les autres, il passera ses journées comme ce dimanche où il erre seul dans son appartement, regardant les autres du balcon. C'est un casanier, un solitaire. Son amitié avec Raymond, il ne la demande pas. Il ne cherche pas à aimer Marie : s'il se marie, c'est pour elle... Il est un étranger dans ses rapports, dans ses habitudes.

2. Chapitre III (partie 2), peu après être arrivé dans le box de l'accusé : "Je me suis expliqué aussi la bizarre impression que j'avais d'être de trop, un peu comme un intrus."

   Chapitre IV (partie 2) : En quelque sorte, on avait l'air de traiter cette affaire en dehors de moi. Tout se déroulait sans mon intervention. Mon sort se réglait sans qu'on prenne mon avis. De temps en temps, j'avais envie d'interrompre tout le monde et de dire : "Mais tout de même, qui est l'accusé ? C'est important d'être l'accusé. Et j'ai quelque chose à dire." Mais réflexion faite, je n'avais rien à dire.

   Au même chapitre, quand son avocat plaide en parlant de Meursault à la première personne, il pense que c'est pour l'écarter davantage de l'affaire, pour le réduire à zéro, et se substituer à lui. Il se sent déjà loin de la salle d'audience.

   Il se présente au procès comme un spectateur.

3. Il est étranger à lui-même. Il ne cherche jamais à savoir pourquoi il a tué l'Arabe. Il ne regrette pas vraiment son geste. Etranger et étrange. Il paraît parfois vidé de toute conscience de lui-même. Il est étranger à Dieu.

4. Il semble qu'à la fin il ait accepté son statut d'étranger et qu'il veut l'assumer pleinement, comme s'il avait pris conscience de sa vie, de son acte délictueux. Pour preuve, la dernière phrase : "Pour que tout soit

consommé, pour que je me sente moins seul, il me restait à souhaiter qu'il y ait beaucoup de spectateurs le jour de mon exécution et qu'ils m'accueillent avec des cris de haine."

Type De Livre

Ce livre pourrait être perçu comme un récit, comme un roman ou comme un journal.

- Plutôt comme un récit car c'est Meursault qui raconte l'histoire, avec l'usage de la première personne, avec le "je", comme pour une autobiographie.
- Plutôt comme un roman car
  - Le livre compte plus de 150 pages.
  - L'avenir de Meursault est trouble.
  - L'histoire se suit à travers le personnage de Meursault qui vit des événements divers tous aussi importants les uns que les autres (procès, enterrement de sa mère, rencontre avec Raymond, ...)
- Plutôt comme un journal car en lisant, on réalise que Meursault a écrit ce qu'il raconte à des moments précis :
  - Extrait du chapitre 2 (partie I) : "En me réveillant, j'ai compris pourquoi mon patron avait l'air mécontent quand je lui ai demandé mes deux jours de congé : c'est aujourd'hui samedi. (...) J'ai eu de la peine à me lever parce que... (...) Le soir, Marie avait tout oublié. (...) En sortant, elle est venue chez moi. Quand je me suis réveillé, Marie était partie. (...) Après le déjeuner, je me suis ennuyé un peu et j'ai erré dans l'appartement. (...) C'était vraiment dimanche."

    Conclusion : Dans la partie 1, comme pour les chapitres III, V, VI, Meursault semble raconter au soir les faits vécus la même journée. Néanmoins, si on se concentre sur les temps du chapitre II, on note une incohérence. Le chapitre II semble d'abord écrit le samedi soir. Puis, il paraît écrit après le dimanche. Comme si Meursault avait coupé ses chapitres et les avait écrits de temps en temps.

- Extrait du chapitre IV (partie I) : "J'ai bien travaillé toute la semaine. (...) Hier, c'était samedi et Marie est venue, comme nous en étions convenus. (...) Ce matin, Mari est restée et je lui ai dit que nous déjeunerions ensemble."

Conclusion : Meursault a pris sa plume le dimanche pour raconter la semaine précédente.

Un Recit Ecrit Dans Sa Prison ?

Un récit rétrospectif écrit dans sa prison ? Dans cette optique, il faut supposer que Meursault se repositionne à des moments précis, pour raconter des événements précis.

Ceci pourrait expliquer de nombreux passages ; exemple dans le chapitre 1 (partie I) : "A la longue, j'ai fini par deviner que quelques-uns d'entre les vieillards suçaient l'intérieur de leurs joues et laissaient échapper ces clappements bizarres. (...) J'avais même l'impression que cette morte, couchée au milieu d'eux, ne signifiait rien à leurs yeux. Mais je crois maintenant que c'était une impression fausse."

IV. ANALYSE DES THÈMES ABORDÉS

La Mere

Camus a toujours été plein d'amour et de respect pour sa propre mère. Meursault dit toujours " maman " et non " ma mère ". Cependant, Meursault semble être le contraire de Camus lui-même.

En témoigne de nombreux éléments :

" Pour le moment, c'est comme si maman n'était pas morte. Après l'enterrement, au contraire, ce sera une affaire classée... (...) " Les paroles du directeur : " Mme Meursau lt est entrée ici il y a trois ans. "

Ce que raconte Meursault : " Quand elle était à la maison, maman passait son temps à me suivre des yeux en silence. Dans les premiers jours où elle était à l'asile, elle pleurait souvent. Mais c'était à cause de l'habitude. (...) Dans la dernière année je n'y suis presque plus allé. (...) Et aussi parce que cela me prenait mon dimanche. " En outre, il ne voudra pas voir sa mère une dernière fois. Pour lui, cet enterrement est une formalité à passer, qui clôturera cette relation pour de bon.

La Souffrance

Meursault se prétend heureux de la vie qu'il mène lorsqu'il est convoqué par son patron. Il dit ne pas vouloir changer de vie. Mais, pourquoi paraît-il alors si froid, si peu expressif dans ses sentiments, dans ses émotions. Il ne désire jamais vraiment Marie. Il ne manifeste aucune tristesse lors de la mort de sa mère. Il ne pense à rien à l'annonce de sa peine capitale. A-t-il toujours été si refermé sur lui-même ? Est-il insensible ?

On sait combien refouler en soi des événements douloureux est néfaste pour l'homme. Les émotions ont besoin de s'exprimer. Or, il ne fait jamais le deuil de sa mère. Il enfouit tout en lui. Lors de son crime, Meursault n'est-il pas soudain victime de tout ce qu'il a engrangé en lui ? Tout rejaillit dans cet acte irréfléchi. La souffrance est une douleur morale qui blesse davantage les introvertis, comme Meursault.

La Detente

Après son enterrement, Meursault a besoin de profiter. Il se rend à la mer qui lui offre fraîcheur et délassement. C'est comme un moyen de s'évader, d'oublier. Marie et lui iront plusieurs fois à la mer. Mais, même dans la détente, Meursault n'est pas pleinement satisfait : la chaleur le fait souffrir sur la plage, chez Masson. Il déborde : " Je pensais à la source raîche derrière les rochers. J'avais envie de retrouver le murmure de son eau, envie de fuir le soleil, l'effort et les pleurs de femme, envie enfin de retrouver l'ombre et le repos. (...) C'est alors que tout a vacillé. La mer a charrié un souffle épais et ardent. (...) Tout mon être s'est tendu et j'ai crispé ma main sur le revolver. " La mer, synonyme de détente, lui apporte aussi le malheur.

La Chaleur

Meursault souffre du soleil et de la chaleur à Marengo, à la plage. Les termes sont éloquents : " Il faisait très chaud. (...) J'avais chaud sous mes vêtements sombres. (...) Aujourd'hui, le soleil débordant qui faisait tressaillir le paysage le rendait inhumain et déprimant. (...) La sueur coulait sur mes joues. (...) Ça tape. (...) L'éclat du ciel était insoutenable. Le soleil avait fait éclater le goudron. (...) Moi, je sentais le sang qui me battait aux tempes. (...) Le soleil tombait presque d'aplomb sur le sable et son éclat sur la mer était insoutenable. (...) On respirait à peine dans la chaleur... (...) J'étais à moitié endormi par ce soleil... (...) La chaleur était telle qu'il m'était pénible aussi de rester immobile sous la pluie aveuglante qui tombait du ciel. (...) Je sentais mon front se gonfler sous le soleil. (...) A chaque épée de lumière jaillie du sable, d'un coquillage blanchi ou d'un débris de verre, mes mâchoires se crispaient. (...) Toute une plage vibrante de soleil se pressait derrière moi. (...) La brûlure du soleil... (...) C'était le même soleil que le jour où j'avais enterré maman... (...) Cette épée brûlante rongeait mes cils et fouillait mes yeux douloureux. (...) ...un souffle épais et ardent. (...) La gâchette a cédé. "

Au chapitre IV de la partie 2, Meursault se défend en disant qu'il a tiré à cause du soleil. Seul le lecteur peut le comprendre. D'ailleurs, il y a des rires dans la salle.

La chaleur rend l'air épais dans la salle d'audience : " Les petits éventails multicolores des jurés s'agitaient tous dans le même sens. " Tout s'alourdit : " La plaidoirie de mon avocat semblait devoir ne jamais finir. "

Comme si la chaleur et le soleil étaient responsables du calvaire vécu par Meursault, de son crime, de sa souffrance. Et pourtant, sans soleil, il n'aurait pas vécu ses bons moments d'évasion avec Marie. Une lourde ambiguïté. Le soleil cause sa tragédie et sa mort.

Il aime le calme et l'ombre du soir ou de sa cellule. Le récit se clôture d'ailleurs dans l'apaisement à la limite de la nuit.

V. ANALYSE PERSONNAGES

Meursault

On ne connaît pas son prénom. On ne sait pas comment ses amis, ses voisins, ou Marie l'appelle. Il vit dans un quartier pauvre d'Alger.
Indications :

- ***Dès la première page, on parle de "Marengo, à quatre-vingts kilomètres d'Alger".***

Au chapitre II (partie 1) : "Ma chambre donne sur la rue principale du faubourg. (...) Un peu plus tard passèrent les jeunes gens du faubourg, cheveux laqués et cravate rouge, le veston très cintré, avec une pochette brodée et des souliers à bouts carrés. J'ai pensé qu'ils allaient vers le centre. C'était pourquoi ils partaient si tôt et se dépêchaient vers le tram en riant très fort."

- **Il est "marchand de tabac", du petit café "Chez Pierrot".** De son appartement, il parle d'une chambre, d'une salle à manger et d'un balcon. Il y vivait avec sa mère avant qu'elle n'aille à l'asile, c'est-à-dire jusqu'il y a trois ans. Une certaine pauvreté donc.

- **Il est jeune.** Il semble approcher la trentaine.

Le directeur lui dit à l'asile : " Vous n'avez pas à vous justifier, mon cher enfant." Son patron veut installer un bureau à Paris et le convoque pour lui dire : " Vous êtes jeune, et il me semble que c'est une vie qui doit vous plaire."

Dans sa cellule, il pense : " Dans le fond, je n'ignorais pas que mourir à trente ans ou à soixante-dix ans importe peu puisque, naturellement, dans les deux cas, d'autres hommes et d'autres femmes vivront, et cela pendant des milliers d'années. "

- **Il travaille comme employé dans une société maritime.** Première page : " J'ai demandé deux jours de congé à mon patron. "

Au chapitre III (partie 1) : " Le patron a été aimable. (...) Il y avait un tas de connaissements qui s'amoncelaient sur la table. " Des connaissements traitent des marchandises des bateaux.

- **Il n'avait plus que sa mère.** Son père semble être mort dans sa petite enfance. Le directeur dit à Meursault à l'asile en parlant de sa mère : " Vous étiez son seul soutien. "

Thomas Pérez a été un " vieil ami de maman ". Le directeur dit à Meursault : " Mais lui et votre mère ne se quittaient guère. " On disait à Pérez : " C'est votre fiancée. " " Ça leur faisait plaisir. "

Dans sa prison, il raconte : " Je me suis souvenu dans ces moments d'une histoire que maman me racontait à propos de mon père. Je ne l'avais pas connu. Tout ce que je connaissais de précis sur cet homme, c'était peut-être ce que m'en disait alors maman. "

- **Meursault est un "enfant"** : Chapitre III (partie 1) : " La patron a été aimable. " Quand il parle de la fin de l'instruction, il raconte : " Je commençais à respirer. Personne, en ces heures-là n'était méchant avec moi... " Il parle de " méchant ", de " gentil ", comme un enfant. Quand il fait le mal, il ne sait pas expliquer pourquoi il l'a fait. Sa mentalité est encore étroite. Il répond à ses pulsions, à ses désirs, comme un bébé. C'est son crime, puis son procès, puis sa condamnation qui vont l'extraire de cette innocence puérile, lui faire prendre conscience de son crime, et faire apparaître chez lui une certaine personnalité d'homme révolté contre ceux qui l'accusent.

- *Meursault est un "homme"* : Au procès, Céleste dit de Meursault qu'il est un homme. Il déclare que tout le monde sait ce que cela veut dire. Meursault vit en Algérie. Là-bas, un " homme " se doit d'avoir de la droiture, de la témérité, du courage, de la solidarité avec ses copains et se doit de défendre ses proches. Meursault pourrait en ce sens avoir tué l'Arabe pour venger Raymond blessé peu avant.

- *Meursault a une conscience étroite.* Meursault souffre du soleil et des chaleurs trop fortes. Mais, il ne change jamais ses habitudes pour cela. Il répond au désir de Raymond d'écrire une lettre, sans se poser de question. Il vit sa liaison avec Marie sans voir plus loin, sans la désirer davantage. Il paraît naïf, simple d'esprit. Il passe un dimanche seul dans son appartement - regardant les passants dans la rue, lisant un vieux journal - mais durant toute cette journée, il n'y a pas un moment où il pense à sa personne, où il réfléchit sur lui-même. Or, nous, lecteurs, nous sommes vite menés à nous intéresser à la conscience de Meursault. Qui est-il ? Que pense-t-il ? Pourquoi fait-il cela ? Lui-même le sait-il ?

Son caractère ne ressort pas. Sa personnalité non plus. Est-ce à dire qu'il n'a pas d'âme ?

Meursault évoque les paroles du procureur qui parle de son âme au chapitre IV (partie 2) : " Il disait qu'à la vérité, je n'en avait point d'âme, et que rien d'humain, et pas un des principes moraux qui gardent le cœur des hommes ne m'était accessible. (...) ...le vide du cœur (...) devient un gouffre où la société peut succomber. "

Pourquoi paraît-il si insensible ? On voudrait se reporter aux rapports qu'il a eus avec sa mère dans le passé mais trop peu d'éléments nous le permettent. Meursault aurait donc plutôt tué l'Arabe à cause d'une pulsion interne trop grande, à cause du mal-être interne (il ne semble pas souvent savoir ce qu'il veut) et externe (le soleil, la chaleur).

Meursault n'a pas d'ambition : Chapitre V (partie 1), son patron veut savoir s'il est disposé à se rendre à Paris, et à voyager une partie de l'année.

Meursault lui répond que dans le fond cela lui est égal, que sa vie à Alger ne lui déplaît pas du tout. Le patron lui dit clairement combien il n'a pas d'ambition.

Ou alors Meursault ferait-il preuve de sagesse, se contentant de sa vie comme il le prétend ? Est-il vraiment heureux ?

Les Arabes

Pour Meursault, les Arabes sont comme tous les autres qu'il rencontre. Il tue l'Arabe car il l'empêche d'atteindre la source et car le soleil le fait souffrir. Il n'est pas raciste envers eux. C'est parce qu'ils veulent du mal à Raymond qu'ils sont méchants, sans plus.

Marie

Marie Cardona. C'est la maîtresse de Meursault. Il la connaissait autrefois ; il en avait eu envie.

Elle vit avec Meursault une relation charnelle : " Marie m'a rejoint et s'est collée à moi dans l'eau. Elle a mis sa bouche contre la mienne. (...) Quand nous nous sommes rhabillés sur la plage, Marie me regardait avec des yeux brillants. Je l'ai embrassée. (...) Je l'ai tenue contre moi et nous avons été pressés de trouver l'autobus, de rentrer, d'aller chez moi et de nous jeter sur mon lit. (...) ...c'était bon de sentir la nuit d'été couler sur nos corps bruns."

Cet amour purement physique, sans fond, ne survit pas au procès. Marie ne lui rend visite qu'une fois à la prison. Elle n'écrit plus après sa condamnation. D'ailleurs, ça n'a pas l'air de le toucher.

Dans la même collection en numérique

Les Misérables
Le messager d'Athènes
Candide
L'Etranger
Rhinocéros
Antigone
Le père Goriot
La Peste
Balzac et la petite tailleuse chinoise
Le Roi Arthur
L'Avare
Pierre et Jean
L'Homme qui a séduit le soleil
Alcools
L'Affaire Caïus
La gloire de mon père
L'Ordinatueur
Le médecin malgré lui
La rivière à l'envers - Tomek
Le Journal d'Anne Frank
Le monde perdu
Le royaume de Kensuké
Un Sac De Billes
Baby-sitter blues
Le fantôme de maître Guillemin
Trois contes
Kamo, l'agence Babel
Le Garçon en pyjama rayé
Les Contemplations

Escadrille 80

Inconnu à cette adresse

La controverse de Valladolid

Les Vilains petits canards

Une partie de campagne

Cahier d'un retour au pays natal

Dora Bruder

L'Enfant et la rivière

Moderato Cantabile

Alice au pays des merveilles

Le faucon déniché

Une vie

Chronique des Indiens Guayaki

Je voudrais que quelqu'un m'attende quelque part

La nuit de Valognes

Œdipe

Disparition Programmée

Education européenne

L'auberge rouge

L'Illiade

Le voyage de Monsieur Perrichon

Lucrèce Borgia

Paul et Virginie

Ursule Mirouët

Discours sur les fondements de l'inégalité

L'adversaire

La petite Fadette

La prochaine fois

Le blé en herbe

Le Mystère de la Chambre Jaune

Les Hauts des Hurlevent

Les perses

Mondo et autres histoires

Vingt mille lieues sous les mers

99 francs

Arria Marcella

Chante Luna

Emile, ou de l'éducation

Histoires extraordinaires

L'homme invisible

La bibliothécaire

La cicatrice

La croix des pauvres

La fille du capitaine

Le Crime de l'Orient-Express

Le Faucon malté

Le hussard sur le toit

Le Livre dont vous êtes la victime

Les cinq écus de Bretagne

No pasarán, le jeu

Quand j'avais cinq ans je m'ai tué

Si tu veux être mon amie

Tristan et Iseult

Une bouteille dans la mer de Gaza

Cent ans de solitude

Contes à l'envers

Contes et nouvelles en vers

Dalva

Jean de Florette

L'homme qui voulait être heureux

L'île mystérieuse

La Dame aux camélias

La petite sirène

La planète des singes

La Religieuse

À propos de la collection

La série FichesdeLecture.com offre des contenus éducatifs aux étudiants et aux professeurs tels que : des résumés, des analyses littéraires, des questionnaires et des commentaires sur la littérature moderne et classique. Nos documents sont prévus comme des compléments à la lecture des oeuvres originales et aide les étudiants à comprendre la littérature.

Fondé en 2001, notre site FichesdeLectures.com s'est développé très rapidement et propose désormais plus de 2500 documents directement téléchargeables en ligne, devenant ainsi le premier site d'analyses littéraires en ligne de langue française.

FichesdeLecture est partenaire du Ministère de l'Education du Luxembourg depuis 2009.

Plus d'informations sur www.fichesdelecture.com